Jogo da Felicidade

Bruna Lombardi

Jogo da Felicidade

SEXTANTE

edição: Alessandra J. Gelman Ruiz

revisão: Hermínia Totti e Magda Tebet

capa, projeto gráfico e diagramação: Raul Fernandes

impressão e acabamento: Geográfica e Editora Ltda.

CIP-BRASIL. CATALOGAÇÃO NA PUBLICAÇÃO
SINDICATO NACIONAL DOS EDITORES DE LIVROS, RJ

L833j Lombardi, Bruna

Jogo da felicidade/Bruna Lombardi; Rio de Janeiro: Sextante, 2015.
192 p.; il.; 14 x 21 cm.

ISBN 978-85-431-0312-9

1. Lombardi, Bruna - Narrativas pessoais. 2. Felicidade (Autorrealização). I. Título.

15-27868 CDD: 920.72
CDU: 929-055.2

GMT Editores Ltda.
Rua Voluntários da Pátria, 45 – Gr. 1.404 – Botafogo
22270-000 – Rio de Janeiro – RJ
Tel.: (21) 2538-4100 – Fax: (21) 2286-9244
E-mail: atendimento@sextante.com.br
www.sextante.com.br

Ana Lúcia
tudo de
lindo
pra você
Sempre
beijo

Para o Ri e para o Kim,
que com seu amor absoluto
transformaram minha jornada
na mais bela e feliz
de todas as aventuras.

Agradecimentos

Agradecer é parte essencial deste livro.
Cada um chegou na hora certa e colaborou com o seu melhor.

Todos foram importantes para a descoberta deste caminho.

Agradeço ao imenso público, que me acompanha diariamente nas redes sociais com toda a sua generosidade e com sua melhor energia.

Ao Marcos Pereira, à Virginie Leite e a todos da Editora Sextante, que faz um trabalho extraordinário.

Ao Raul Fernandes, que fez deste projeto gráfico uma linda viagem de orientação.

À Yolanda Sandner, minha tia querida, à Georgia Costa Araújo, à Lylian Brandão e a toda a minha amada equipe da Rede Felicidade, *que tem por missão tornar as pessoas mais plenas e felizes.*

À Alessandra Ruiz, que apareceu como um anjo para descortinar o trajeto, com muita emoção e doçura.

E ao meu filho Kim, que com sabedoria foi descobrindo comigo cada etapa deste jogo noites adentro e trouxe sua magnífica luz quando eu mais precisava.

Sumário

Algumas palavras antes da viagem

Sempre acreditei que tudo no Universo está conectado. Somos todos feitos da mesma matéria energética dos astros e dos corpos celestes. Dos oceanos e das montanhas. Cada átomo do nosso corpo foi forjado numa estrela e fazemos parte dessa poeira cósmica.

E, nessa interligação, a felicidade do outro é fundamental para a minha, assim como a dor do outro me afeta inevitavelmente.

Ninguém está isolado. Por mais individual e solitária que seja a jornada de cada um, ela interfere, influi e afeta a de todos. A energia do todo, da qual fazemos parte, é resultado da energia que irradia e emana de cada um de nós.

E no entanto, dentro dessa infinita Criação, cada um de nós é único e muito importante. Único em sua história, em sua impressão digital, na íris dos seus olhos, nos batimentos do seu coração. Cada um é único na sua missão e no seu destino. Não existem dois iguais. Não existem vidas irrelevantes.

Por meio de tudo o que venho fazendo na vida e no trabalho, em filmes, livros, redes sociais, meu desejo vem sendo estimular, entusiasmar, motivar de alguma maneira, para que cada um possa buscar sentido no que faz, para que encontre significado em sua jornada e se conecte consigo mesmo.

Quando nos conectamos com os nossos sentimentos mais íntimos, com a nossa voz interior, com a fala silenciosa da nossa emoção, estamos nos conectando com o Universo. Ao longo de todo o percurso da nossa jornada, vamos descobrir nosso divino, o Deus dentro de nós.

Essa é a jornada de todos. E se essa energia que distribuo em tudo o que faço for capaz de encorajar, empoderar, ajudar o caminho e tocar o coração de alguém, então eu mesma encontrei um sentido e um significado para a minha vida.

E agradeço a cada um de vocês por me ajudar a descobrir isso nessa busca contínua e cotidiana que tem sido a minha trajetória.

A Proposta do Jogo

Em qualquer parte que você abrir este livro, ele pode ter um significado específico, conforme o momento em que você se encontra na sua vida. Estamos sempre em alguma das etapas do caminho, sempre em busca de alguma coisa, sempre indo atrás de algum sonho. Somos todos heróis da nossa própria história e essa é a jornada de todos nós.

No *Jogo da Felicidade*, vamos percorrer juntos esses momentos da nossa trajetória, vamos trocar experiências, ser parceiros nessa viagem. A experiência de cada um é individual, mas pode ser melhor quando compartilhamos o que aprendemos.

Este livro é o nosso percurso, que vai das coisas mais simples, cotidianas, aos grandes acontecimentos da vida. Seja o que for, uma simples tarefa, um projeto de trabalho, uma história de amor, sempre existirão medos e obstáculos a serem superados, esperanças a serem renovadas, tentativas, lições, desistências e transformações.

Quando queremos que um desejo se realize e batalhamos por ele, muitas coisas inesperadas acontecem, como coincidências que não explicamos. O acaso se organiza diante de nós, algumas portas se abrem e outras trazem imprevistos. Todos os dias, enfrentamos dificuldades, resolvemos problemas, lutamos contra monstros, passamos por perigos, turbulências, conflitos, mas sempre sobrevivemos.

Depois de fraquejar, saímos mais fortes e reencontramos a vontade dentro de nós. Reinventamos nossa força, nosso poder, a curiosidade de seguir, a alegria de viver o novo e a certeza de que vamos encontrar o que fomos buscar. E aprendemos que cada uma das etapas é fundamental e que vale a pena ser vivida.

Leia este livro de uma só vez ou então abra em uma página qualquer quando tiver alguma dúvida ou estiver em busca de uma resposta. Consulte sempre que você precisar. Nas páginas finais, faça anotações, confesse segredos, manifeste seus desejos. Transforme-o em seu diário, em seu livro de cabeceira. E quanto mais ele for um companheiro íntimo, mais ele se tornará mágico para você.

Algumas fases talvez passem rapidamente, outras podem demorar, e muitas podem acontecer ao mesmo tempo. Não importa. O importante é nunca perder a noção de onde estamos, e termos uma orientação permanente. Em qualquer ponto, você pode recomeçar, porque, na verdade, estamos sempre recomeçando. Cada dia é um recomeço na busca constante em direção aos nossos sonhos.

Feche os olhos. Respire.

✳ **O objetivo:** *Ousar sonhar, descobrir seu sonho, buscar clareza para desvendar o mistério do seu desejo.*

✳ **A ação:** *Entregar sua mente a um exercício de imaginação, buscar inspiração em tudo o que você acha interessante, buscar referências em coisas e pessoas.*

✳ **O risco:** *Não sair do lugar nem se dar ao luxo de sonhar. Permanecer na fantasia e nunca sair dela. Achar impossível e desistir antes de começar.*

1

O Sonho

De onde surge um Sonho? Por que essa força motivadora toma conta de nós e nos move?

Somos todos movidos a Sonhos, a alguma coisa que, de repente, a gente imagina, visualiza e passa a desejar do ponto mais fundo do nosso ser.

Quando vislumbramos o que queremos, podemos achar que é impossível. Mas, depois, ficamos fascinados com a possibilidade de aquilo virar realidade, e aí a própria ideia de viver se mistura com a de realizar nosso Sonho.

Tudo começa com um Sonho, um desejo, uma faísca. Pode ser grande ou pequeno, tanto faz. Começa como uma nebulosa e se torna uma imensa vontade de materializar o que ainda nem é muito claro.

Se não desistimos dos nossos Sonhos e corremos atrás para fazer acontecer, somos capazes de enfrentar enormes desafios por eles. Esse é o grande jogo que vamos jogar vida afora e cujo objetivo maior é sempre a felicidade.

Quando conseguimos superar o medo de sonhar, de sofrer, de falhar, quando temos uma certa inocência de acreditar que é possível, de acreditar no nosso desejo, tudo se alinha para que ele aconteça. Aí nos tornamos protagonistas da história da nossa vida.

Se continuarmos na jornada sempre atrás da nossa meta, se confiarmos no Universo e na energia que nos cerca e da qual fazemos parte, todos os caminhos vão se abrir para a nossa passagem. E uma luz extraordinária vai nos orientar e apontar o caminho nessa viagem da paixão.

Ouse sonhar. Sonhe sem medo.
Tenha um sonho claro, maior, inabalável.
Acredite num sonho mesmo incerto e indefinido.
Antes mesmo de pensar nos desafios,
pense na aventura.

Escreva seu destino. Conquiste seu desejo.
Aprenda a escrever a história da sua vida.

Existe um visionário dentro de nós
que vê o que ainda não aparece,
ouve o que ninguém escuta
e segue uma direção que ainda não existe.

Um sonho precisa nos desafiar
a ir aonde nunca fomos,
a fazer o que nunca fizemos.

Quando você manifesta seus mais
profundos desejos, seu pensamento
tem o alcance do Universo.
Manifeste pra você mesmo seu desejo
e deixe o Universo escutar.

Poder sonhar é uma dádiva divina que todos
recebemos. Use seu dom.
Aprenda a se aventurar dentro e fora de você.

Nunca é tarde ou cedo demais.
O tempo não tem data.
As datas são uma invenção dos homens.
O tempo é o tempo.
Maior, soberano e generoso.

Fique tranquilo.
Os sonhos acham seu próprio caminho,
nos guiam para onde queremos ir.

Deixe a vida te surpreender
e surpreenda a si mesmo
com uma audácia inesperada.

Nada se cria sem um sonho.
E nenhum sonho se realiza
se não se acredita nele.

Numa mente cheia de medos,
não há lugar para sonhos.

Os melhores sonhos acontecem
quando você está acordado.

Alguns se deixam guiar pelo peso que carregam.
Outros, pelos seus sonhos.

Para viver é preciso encantamento
para equilibrar a realidade.

Não existem fronteiras,
nem empecilhos para sonhar.
É só se deixar levar, se entregar.
Deixe o pensamento fluir.
A maior viagem
é a da nossa imaginação.

O que seria de nós sem nossos sonhos?
Sem nossas fantasias, sem nossos
desejos e esperanças?
Somos feitos dessa matéria,
que às vezes se desmancha como as nuvens,
mas sempre se renova.

✳ **O objetivo:** *Estar atento aos detalhes e acreditar na nossa intuição.*

✳ **A ação:** *Fazer caminhadas, buscar lugares que permitam momentos de silêncio para escutar nossa voz interior. Meditar.*

✳ **O risco:** *Sucumbir ao estresse e não escutar nosso coração. Decidir não ir por medo de falhar.*

2

O Chamado

Grande parte de nossos sonhos permanecem apenas sonhos. Não se tornam reais. O que faz um sonho se tornar um projeto, uma jornada? De onde vem esse impulso interno, esse quase reconhecimento, essa certeza intuitiva? O que é esse Chamado?

Uma voz dentro de nós nos diz que essa é a nossa busca, a nossa meta, o nosso propósito. Nos diz que isso vai dar um sentido à nossa vida. É o sopro do anjo que só conseguimos sentir com o coração limpo. É a nossa intuição nos dizendo que isso vai nos fazer mais felizes. Uma certeza nos diz que não precisamos ser os mais fortes, os mais corajosos ou os mais espertos, mas que precisamos sim ser verdadeiros nos nossos sentimentos em relação aos outros e a nós mesmos. Aqui devemos investigar e tentar compreender o nosso lado escuro e mais confuso para escolher nosso sonho. Podemos ainda não saber como, nem quando, mas agora sabemos que temos que ir. Mesmo sem clareza, vamos nos jogar na direção do sonho que escolhemos. É isso que nos move e é isso que move o mundo.

O Chamado alegra a alma. A gente parece estar disposto a enfrentar o que vier, a encarar o risco, a correr perigo e a seguir nossa vocação. Tudo o que precisamos agora é acreditar e prestar atenção nos pequenos milagres cotidianos que a vida nos apresenta e que, muitas vezes, nos passam despercebidos.

Pela primeira vez, vamos ter a clareza e a coragem de manifestar nosso desejo. E, a partir de agora, o Universo vai dar início ao alinhamento da nossa vontade interna com a vontade do mundo, para que a gente chegue aonde tem que chegar.

Se você prestar atenção,
o Universo fala com você.

Quem escuta o silêncio
escuta a si mesmo.
Confie no seu instinto.
Escreva seu destino.
Você está na direção certa.
Sua intuição é a sua estrela guia.

A voz da nossa intuição
é a voz de Deus que está dentro de nós.
Quando você aprender a escutar,
ninguém vai te apontar o caminho
melhor do que você mesmo.

Cada dia é uma nova oportunidade
de repensar e fazer o que você gosta.
Comece fazendo o que você
gosta de vez em quando.
Faça o que você mais gosta mais vezes.
Depois, tente fazer isso pro resto da vida.
Faça coisas que você gosta
e goste das coisas que você faz.

Tente encontrar instintivamente
todas as coisas que te passem uma sensação gostosa.
Troque aquilo que querem que você faça
por aquilo que você quer fazer.
Escolha o caminho mais emocionante, apaixonante,
aquele que te der mais prazer.

O pássaro canta pelo prazer de cantar,
mesmo que ninguém o ouça.

Para achar pessoas que você ama,
procure fazer o que você ama.

É preciso investir também
naquilo que não se vê.
O invisível não tem preço.

Visualize seu desejo.
Ele é feito de pura energia.
Infinita, inesgotável, irresistível energia.
Como você.

Não é você que se move,
é a sua força interior.
Enquanto você não verbalizar,
não existe promessa.
Enquanto você não se mover,
não existe caminho.

Siga sua alegria mais genuína,
mais simples, mais verdadeira.
Deixe o prazer das coisas simples te levar.

Ser você mesmo é a melhor coisa
que você traz para o mundo.

Aprenda a ler os sinais
e não vá atrás de quem não te quer.

Às vezes, no silêncio se escutam
as vozes dos anjos.
Deixe o anjo te guiar, mesmo invisível.
Ouça as palavras que ele sussurra
e siga a pista dos sinais imperceptíveis
que ele te deixa no caminho.

Estamos sempre mais velhos
do que ontem
e mais novos do que amanhã.
O melhor momento é agora.
Se não agora, quando?

✻ **O objetivo:** *Transformar seu sonho numa pequena semente, dar o primeiro passo.*

✻ **A ação:** *O plantio é solitário e é preciso arar, preparar o terreno e estar disposto a trabalhar.*

✻ **O risco:** *Não suportar a espera e desistir porque tudo é demorado. Viver no imediatismo, querer o resultado na hora, querer o sucesso antes do trabalho.*

3

A Semente

Para um sonho se tornar real, existe um tempo certo para ele acontecer. Na natureza, tudo tem seu ciclo. A Semente tem seu tempo de brotar, assim como o fruto tem seu tempo de amadurecer. O primeiro momento da sua jornada em direção ao seu sonho também terá seu tempo certo para acontecer. Você não deve ter nenhuma pressa, nenhuma impaciência, porque nenhum atalho vai ajudar. É preciso saber aguardar o momento de iniciar seu caminho.

Aqui é preciso, desde a primeira escolha, ter a calma da Semente e a sabedoria da espera. E, como em qualquer plantio, aqui também existe o momento de escolher e preparar o terreno. De saber que fruto queremos. Aqui é fundamental compreender a relação de causa e efeito com tudo o que a gente faz e diz, compreender as consequências das nossas ações e assumir a responsabilidade.

Por mais que seu sonho seja grandioso, por mais longa que seja a estrada que leva você até ele, tudo sempre começará com um primeiro pequeno passo. Talvez ainda seja inseguro, como o de um bebê, e você possa oscilar, ter dúvidas dos seus limites e das suas capacidades. Ao mesmo tempo, você não precisa se preocupar, pode começar de um jeito divertido e natural, com a vontade vencendo o medo, a curiosidade puxando você para a frente. O resto vai ser uma sequência de pequenos passos.

A gente sabe que colhe o que planta. Agora é hora da primeira escolha, do terreno fértil, da Semente e da paciência. Respeitar a natureza das coisas e a sua própria natureza. Seguir no seu próprio ritmo.

Comece devagar e sem saber nada.
Se você não começa alguma coisa,
seu sonho se dilui e se perde no ar.

Uns vivem no mundo dos sonhos.
Outros enfrentam a realidade.
O segredo é saber misturar os dois.

Pense grande e comece pequeno.
Não se assuste achando que é impossível.
O possível a gente faz na hora,
o impossível só demora mais um pouco.

Você está sempre onde você precisa estar,
e as coisas acontecem exatamente
no lugar certo.
Você nunca começa tarde e nem cedo.
É sempre a hora certa para o início.

Talvez demore mais
do que se espera.
Mas qualquer espera
é cheia de novas oportunidades.

O plantio quem faz é você.
Espalhe as sementes dos frutos
que você quer colher.

A melhor semente
que você pode plantar é a que for
gerar uma colheita coletiva
e trazer frutos para todos.

Preste atenção: no presente se cria o futuro.
Mesmo com um pequeno gesto
você sempre pode fazer uma grande diferença.

A energia que você espalha
é a mesma que você recebe.

Tem horas que o Universo
pede paciência.
Tudo vem no seu tempo certo.
A paciência é o intervalo
entre a semente e o fruto.

Não se preocupe com a perfeição.
Aliás, não se preocupe.

A mudança é diária e gradual.
Ela acontece pouco a pouco.
E a cada dia a gente tece o fio de uma
nova esperança.

Cuide das coisas grandes e pequenas
com a mesma importância.
Qualquer pequena luz pode ser
uma festa e iluminar a vida.

Preste atenção
nos pequenos milagres
e os grandes virão.

✻ **O objetivo:** *Estudar a direção, prever os riscos e se prevenir. Ter a abrangência da visão do grande ao pequeno, do presente ao futuro.*

✻ **A ação:** *Estudar, pesquisar, fazer listas, traçar o caminho.*

✻ **O risco:** *Ser superficial, achar que já sabe, não se dar o tempo de planejar ou acreditar que planejar e organizar é perda de tempo.*

4

O Mapa

Não adianta querer chegar até seu sonho sem saber por qual caminho ir. É preciso ter um Mapa, um plano de voo, uma clareza de onde devemos partir, das estradas por onde andar e do lugar ao qual desejamos chegar.

Para alcançar seu sonho, seja ele qual for, você precisa ter objetivos claros, planejar, se organizar. Começar a calcular uma forte estrutura para que seu sonho não desmorone.

Em primeiro lugar, é preciso colocar as coisas em ordem, e em todos os planos: físico, mental e espiritual. A organização vai ser fundamental no percurso. Por maior que seja sua pressa, você não pode avançar no meio do caos. A desordem e o descontrole vão ser seus inimigos em qualquer trajeto. Vai ser impossível prosseguir e compreender o passo seguinte com as coisas fora de ordem, inclusive dentro de você.

Preste atenção nos detalhes. Arrumar sua casa, suas gavetas, sua mesa de trabalho é tão importante quanto cuidar das suas tarefas. Uma coisa reflete na outra. Está tudo conectado. Para saber do que você precisa, vai ser necessário ter uma visão do todo, pensar com abrangência. Aqui se estuda minuciosamente o planejamento. Aqui as intenções e intuições se materializam em ideias e é preciso prever as possíveis consequências e compreender o roteiro.

O Mapa é a primeira concretização do seu sonho. Aqui você pluga o fio terra. Quando você inventa, estuda e desenha seu Mapa, você diminui a margem de erro e começa a prever os próximos acontecimentos.

E lembre-se: é você que faz a estrada do seu jeito.

Pense diferente e terá soluções diferentes.

Mesmo sem ainda saber aonde ir,
imagine um bom caminho.
Pensamentos viram acontecimentos.
Escolha os melhores.

A meta da jornada é encontrar a si mesmo.
Invente seu caminho, mesmo fora do traçado.
Você não precisa seguir o caminho que já existe. Você pode traçar o seu.

Não existe linha reta e nem caminho fácil.
Sem aceitar as pedras, os desvios, as derrotas,
os erros e as perdas, ninguém sai do lugar.

Seu destino vai te encontrar aonde
quer que você vá.

Sua mente cria o mapa.
Seu coração indica o caminho.

Bom é achar um caminho,
não uma desculpa.

Se agora você não tem tempo
de fazer direito,
quando vai ter tempo de fazer de novo?

Faça uma lista,
a mais completa possível,
de todas as coisas
que te fazem feliz.

Prepare-se.
Todos os momentos da vida
são inéditos.

Olhe os mapas. Compreenda a geografia.
Sonhe com lugares distantes.
Seja viajante fora e dentro de você.

Olhe sempre para o belo,
para tudo o que te fascina.
Sinta na criação do mundo
a presença do Criador.

Planeje, organize e crie seu mundo
do jeito que você imagina.
Reescreva as regras, invente as suas.
Desenhe caminhos.
Faça da sua vida
uma rota experimental.

Se você não planeja para saber o que quer, alguém vai planejar por você o que você não quer.

Quando fizer o roteiro da sua vida, faça um filme feliz. E seja protagonista da sua história.

✳ **O objetivo:** *Compreender o que é essencial e descartar o restante. Conseguir se desapegar de coisas e buscar leveza.*

✳ **A ação:** *Procurar amigos, professores, gente que você admira e confia e que tem conhecimento daquilo que se busca. Rever conceitos.*

✳ **O risco:** *Continuar apegado a coisas que já não representam você e a pessoas que não entendem e não querem sua mudança, que fazem mal e drenam sua energia.*

5

A Bagagem

A mala faz parte da preparação da viagem em direção ao seu sonho. E para levar o mínimo necessário na Bagagem é preciso, em primeiro lugar, compreender o que é essencial.

Pode parecer simples, mas buscar o essencial é uma das tarefas mais difíceis e vai estar presente em todas as etapas da sua trajetória. Aqui se começa com um conceito: buscar a síntese, a simplicidade. Sabemos o que queremos mesmo não sabendo o que vem pela frente. Pensamos em nos preparar para o que virá, mas a vida surpreende sempre.

Uma das chaves principais que vamos usar durante todo o caminho é a da adaptabilidade. A arte de se adaptar ao imprevisto. Vamos ter que aprender a improvisar com o que temos, a imaginar o que não sabemos, a ser criativos na hora da crise e a saber reprogramar, mudar, aceitar e reinventar quando for a hora, tomando as rédeas, a administração, o controle.

Agora o que mais precisamos é ouvir a experiência de alguém que pode nos ajudar. Muita gente passou por esse momento, e precisamos de todas as orientações e ferramentas, de tudo o que possa aumentar o nosso conhecimento. Temos que saber escutar amigos, professores, aliados que a vida nos apresenta e que são fundamentais.

É também o momento de nos livrar de todo peso desnecessário, de tudo o que não nos traduz ou representa, do que não somos mais, do que não nos faz bem, do que drena nossa energia. Vamos aliviar o peso, a carga emocional que, já sem perceber, carregamos inutilmente. Vamos deixar tudo o que nos amarra, tudo o que atrasa nosso processo, tudo o que já não faz sentido.

Aqui se separa o que é importante, fundamental na nossa escala de valores. Aqui se define o visível e o intangível e se compreende o que é, de fato, essencial.

Um pouco de ousadia é indispensável.
Nunca esqueça seu sonho,
nunca abandone a criança que você foi,
nunca deixe de carregar seu lado mais selvagem.
Seja a plenitude da sua natureza.

Tenha em casa coisas
que te fazem bem
cada vez que você olha pra elas.
A magia está em tudo
o que nos cerca.
Inclua magia no seu dia a dia.

Crie com graça e leveza a trilha da sua jornada.
Carregue pouco, aprenda a se desprender
daquilo que você não é mais.
Aprenda a se desapegar de tudo o que
não te faz bem, de tudo o que não te traduz,
não te ajuda e nem te representa.
Sem peso, seu coração flutua
e a magia do Universo te acompanha.

Seja radical.
Descarte: coisas que você não usa,
sentimentos que não te fazem bem,
preocupações que pesam,
medos que te paralisam,
pessoas que não te dão valor.

Jogue fora tudo que não te ajuda a viver melhor.
Seu real valor não está nas suas posses,
mas nas suas atitudes.
Tenha desprendimento e não acumule.
Não deixe coisas estagnadas.
Muito menos sentimentos.

Ao longo da jornada,
você vai ficar carregado de novos significados.
Reorganize sempre sua bagagem.
Livre-se de tudo o que não é você.

Não ouça o que você não gosta.
Não coma o que você não quer.
Não faça o que você não precisa.
Faça escolhas.

A simplicidade é a maior sofisticação que existe.
Escolha a simplicidade para ser mais feliz.

Sua riqueza não está naquilo
que você junta,
mas sim no que você espalha.

Sabe o que te falta?
Ter sempre a certeza
de que não te falta nada.

Quanto mais você aceitar
sua responsabilidade,
maior será seu poder.

Aprenda com a sabedoria das árvores
a deixar cair suas folhas.
Saiba se desprender com graça e leveza
de tudo aquilo que precisa ir embora,
para que o novo possa vir.

Deixe sempre um espaço na sua bagagem
para o que você possa encontrar pelo caminho.

Goste do que você tem.
Busque o que você precisa.
E cuide do que você não pode viver sem.

O amor que a gente escolhe
é o que a gente acha que merece.
Viver é um estado de espírito. Escolha o seu.

Hoje é o início de uma nova jornada.
Hoje começa um novo capítulo
da sua vida.
Comece o dia com uma palavra
abençoada.

❊ **O objetivo:** *Partir e se aventurar, buscar novas experiências, jogar os sonhos no mundo.*

❊ **A ação:** *Ousar fazer o novo. Cortar amarras e olhar as coisas novas com prazer e curiosidade. Dar o primeiro passo.*

❊ **O risco:** *Precipitação, querer sair antes do tempo certo. Descontrole.*

6

A Porta

Chegou o instante da decisão. A partida em direção ao nosso sonho é agora inevitável. É a hora da travessia. Temos de sair pela Porta de uma vez e não olhar mais para trás. Não há mais dúvidas ou hesitações. É o momento de iniciar a viagem. De nos lançarmos no mundo. É o instante da coragem, a hora de nos jogarmos. É o ponto que se transpassa e não há mais volta.

É quando olhamos para a frente e deixamos o passado para trás. Aqui é um divisor de águas entre aquilo que deixamos e o que iremos conquistar. Entre o que fomos e o que seremos. Partimos sabendo que nunca mais vamos ser os mesmos. Assim como já não são as mesmas as águas do rio que atravessamos.

Essa é a primeira passagem. O movimento. Agora nos sentimos confiantes, invencíveis, temos um tesouro à nossa espera. Vamos entrar por um novo portal, no impulso da ousadia, com a audácia de nos jogar na melhor das aventuras: a de ir em busca do desconhecido.

De repente, o que era impossível mostrou ser possível, e agora é imprescindível. Trocamos a segurança por um caminho desconhecido. Vamos seguir ao encontro do nosso sonho. Em direção ao nosso destino.

Esse é o início da jornada solitária de cada um de nós. A descoberta da liberdade. Temos asas, estamos preparados para o voo.

Ir ao encontro do desconhecido
é a mais bela aventura humana.
Descubra a arte de criar
uma nova jornada.

Você vai se preparar,
mas não espere estar pronto para agir.
Nunca estamos prontos
porque vamos mudando a cada passo.
Não espere o momento certo. Faça ele acontecer.

Nunca deixe de se aventurar.
Acredite sempre que o melhor ainda
está para acontecer.
Mas viva como se só existisse o agora.

A força mais poderosa é a nossa vontade.
O desejo move o amor e o amor move tudo.

Não adianta olhar pra trás
se não é pra lá que você está indo.

Todo percurso é em direção ao que não conhecemos,
ao ineditismo da vida. Prepare-se para abraçar tudo
o que vier, desafios, paixões, mudanças.
Não saber o que vai acontecer é a grande emoção,
a beleza do surpreendente mistério da vida.

O medo do novo é sempre não saber
para onde somos levados.
Mas, para viver de verdade
a cada dia, é preciso fazer alguma coisa
que nos assuste.

Qualquer jornada começa
quando se sai da zona de conforto,
daquele lugar protegido onde
nada pode nos atingir.
Não deixe seu comodismo impedir sua evolução.
Todas as dificuldades da vida
podem ser superadas quando você as enfrenta.

Em vez de ter medo
do que pode dar errado,
mude a perspectiva
e pense com empenho
no que pode dar certo.

Viver é como andar de bicicleta.
Para manter o equilíbrio,
a gente tem que se movimentar.

Tire suas nuvens da frente, veja o brilho da luz que elas escondiam e comece com clareza a sua jornada.

Em caso de dúvida, seja audacioso.
Não tenha medo de arriscar,
pois a vida é uma só.
E o risco é sempre menor do que parece.

Quem nunca errou
é porque nunca tentou.
E é sempre melhor errar por ter tentado.
Nunca deixe o medo de errar
ser maior que o desejo de se lançar.

A gente tem que se jogar
e fazer coisas que ainda
não sabemos fazer.
A sorte escolhe os que ousam.

✳ **O objetivo:** *Aprender a jogar o jogo e a buscar a felicidade andando por novos caminhos.*

✳ **A ação:** *Experienciar e aprender.*

✳ **O risco:** *Cair em diversas ciladas, querer desistir no primeiro baque.*

7

O Caminho

Iniciamos a aventura rumo ao desconhecido. Entramos em um novo território e, mesmo com nosso mapa, não temos a menor ideia de onde ele vai nos levar. Vamos ousar fazer o que não sabemos.

Saímos da zona de conforto, da nossa segurança, e agora novas possibilidades vão surgindo o tempo todo, enquanto outras desaparecem. Todo dia é um recomeço de alguma coisa. Ao longo desse percurso, todas as tarefas que precisamos fazer, todas as lições que teremos de aprender vão se apresentar.

A vida vai nos surpreender a cada passo e vamos precisar de atenção permanente. Temos de estar atentos aos sinais, alertas para as novas regras e mudanças.

Vamos descortinar novos cenários e pessoas. Vamos ter vitórias e fracassos, errar, cair e saber levantar. Vamos nos surpreender, nos machucar, sofrer, podemos ser enganados, magoados. Precisamos pensar, sentir, perceber e intuir para compreender como as coisas funcionam, como as pessoas funcionam. Vamos aprender a decifrar o que não é aparente, o que está por trás da conduta e das palavras.

Aos poucos, vamos acompanhar o crescimento do que plantamos e compreender a relação entre causa e efeito. Podemos querer desistir, mas temos que ter, acima de tudo, a constante necessidade de continuar e de manter a chama acesa. Vamos passar por todas as experiências que fazem parte do nosso destino e que vão nos tornar quem devemos ser.

Quando aprendemos um novo jogo, ele pode virar um prazer, uma diversão, e essa é a metáfora do Caminho: lidar com o novo e transformar cada descoberta e cada momento no seu melhor.

Esteja aqui e agora.
Troque o medo por atenção permanente.
Todo o resto depende disso.

Fique atento.
O Universo espalha pistas para você
ir descobrindo o caminho.
Às vezes, basta uma borboleta amarela
para você ter certeza
de que está na direção certa.

Nossa jornada é simples:
sonho, ação, paciência
e uma sequência de milagres.

A energia que você irradia
é a luz que ilumina sua jornada.

Sua felicidade não está nem no passado
e nem no futuro.
Ela é essa energia no presente momento,
força divina e em constante movimento.

Tenha coerência nas pequenas ações diárias,
em tudo o que você pensa, diz e faz.
Seja coerente com você mesmo.

A nossa determinação faz o caminho,
mas a nossa generosidade
é a chave que abre as portas.
Faça um grande gesto.
Ele vai valer por todos os seus pequenos pecados.

O grande guerreiro
é o ser humano comum,
o herói anônimo,
aquele que não é notícia.

A maneira como você segue seu caminho
é o que verdadeiramente importa.
Sucesso é a energia positiva
que você coloca em tudo o que faz.

Serendipidade é a surpresa de encontrar alguma coisa
inesperada quando se buscava outra coisa.
A arte da jornada é estar aberto ao imprevisto
e deixar que o acaso te faça uma surpresa
e traga alguma coisa extraordinária
que você não estava procurando.

Para perder a ansiedade,
sinta que você está sempre onde precisa estar,
e as coisas acontecerão exatamente
no lugar certo e na hora certa.

Basta uma pequena dose diária
de contentamento e aos poucos
você é uma pessoa mais feliz.

Ame as pequenas tarefas, as insignificantes,
aquelas que não te farão rico nem famoso,
mas que te ensinarão resistência, dever, humildade.
Lembre que seu destino é só seu.
Extraia dele o melhor aprendizado.
Deixe que ele te ensine.

Jogue amor no mundo.
Como os outros reagem vai definir
o caminho deles.
Como você reage vai definir o seu.

Olhe para a vida com encantamento.
Olhe tudo como se fosse a primeira vez.

Somos um reflexo do que vemos.
E o que vemos é um reflexo do que sentimos.

O amor acha caminhos
onde não havia lugar para passar.

Você pode ser córrego, riachinho,
rio, mar ou oceano.
Deixe sua água fluir e seu caminho
será cada vez maior.

✳ **O objetivo:** *Nunca esquecer quem você é, sua origem, a força que traz dentro de si, mesmo nos momentos de fraqueza.*

✳ **A ação:** *Usar seu pequeno Talismã mágico, sua prece, seu símbolo ou qualquer coisa como um lembrete, sempre que você precisar.*

✳ **O risco:** *Acreditar que sua força está fora de você e depende de coisas exteriores. Ficar dependente de coisas materiais.*

8

O Talismã

Sempre carregamos alguma coisa com a gente que nos lembra quem somos, nossa origem, nossa fé, nossa certeza interior. Pode ser um pequeno objeto, um amuleto. Pode ser uma medalhinha, uma fotografia de alguém que amamos, uma lembrança da nossa mãe. Esse Talismã serve para nos lembrar da força que carregamos dentro de nós.

O Talismã é um lembrete da sua força e das pessoas que te amam. Não precisa necessariamente ser físico. Pode ser uma prece, uma palavra, um mantra pra você repetir na hora da necessidade. Ele representa proteção e sorte.

Temos que ter nossos pequenos rituais. Eles vão nos ajudar sempre que nos sentirmos sozinhos, perdidos, soltos no mundo. O Talismã nos ajuda a focar nossa energia e reconectar com nosso propósito quando estamos confusos, desorientados e esquecemos quem somos. Quando perdemos referências, o Talismã é o elo com as nossas raízes, com nossa identidade e com nossos valores.

Assim como a lembrança de alguém que nos espera nos motiva a acelerar nosso passo, o Talismã nos lembra de nós mesmos. Ele é uma representação do nosso poder, da nossa coragem e do nosso desejo. Pode ser a descoberta da força mágica do seu inconsciente que, a partir deste momento, você vai procurar sempre que precisar.

Esse é o presente do Universo que você deve aceitar e usar feliz e agradecido.

Quantas pessoas passam por uma pedra comum
sem ver o brilho que ela esconde.
Você possui um tesouro que vai ser descoberto.
Aprenda a lapidar a pedra preciosa
que você carrega dentro de si.

Faz parte do nosso caminho
a gente tentar descobrir o tesouro
escondido dentro de nós mesmos.
Vencer o jogo da felicidade
é encontrar esse tesouro.

É fundamental você se gostar muito,
já que vai conviver o tempo todo
com você mesmo.

A íris do seu olho é única.
As batidas do seu coração são únicas,
sua impressão digital é única.
Seu destino é só seu.
Não existe ninguém igual a você.

Lembre sempre o que motivou
você a chegar até aqui.

Você não precisa aprender a
encontrar seu poder.
Você só precisa aprender a usar o
poder que já tem.

Existe um poder enorme num toque,
num sorriso, numa doce palavra.
As palavras têm poder. Escolha as certas.
Escolha as que te fazem bem.

Para vencer o cansaço,
escute a música que existe dentro de você.
Ela vai te ajudar a compreender seu ritmo.

Às vezes, parece que você está
sozinho no mundo.
Mas tem sempre alguém pensando em você.
Quando se sentir sozinho,
busque força na natureza.

Descubra a magia dos rituais.
Os elementos velam por você.
Ache um lugar que te faz bem, um refúgio.
Visite sempre que puder.

Existe um jardim secreto mágico e inspirador
e ele está perto de você. Feche os olhos e veja.
Existem algumas coisas que só a gente vê.
Aprenda a sentir o invisível.

O amor desafia toda a ciência
e atravessa tempo e espaço.

O que faz uma pessoa ter valor
não é o dinheiro nem o sucesso, é o caráter.
Cuide de sua aparência,
mas cuide ainda mais da sua essência.

Sabe aquela criança que você foi?
Ela continua dentro de você.
Olhe uma foto de sua infância e lembre-se
de continuar brincando.

Faça as coisas da melhor maneira,
mesmo se ninguém estiver olhando.

Não são as coisas caras,
mas as coisas queridas
que nos fazem bem.

O que você tem pode ser perdido,
mas o que você é
está sempre com você.

✳ **O objetivo:** *Compreender o outro, ter compaixão, saber escutar.*

✳ **A ação:** *Ser verdadeiro, ser sincero. Aceitar e se colocar no lugar do outro.*

✳ **O risco:** *Se deixar levar por quem não gosta de você. Se deixar prender por quem não quer sua evolução. Se deixar levar para um caminho que não é o seu.*

9

O Amigo

Amigos são mensageiros. E de suas mensagens tiramos o que precisamos saber naquele momento. Tanto pode ser alguém que conhecemos há muito tempo, como alguém que encontramos de repente e que faz a diferença.

A mensagem pode vir de uma criança, que diz coisas sem pensar. Ou de uma frase lida sem querer em um muro da cidade. Pode vir de uma experiência dolorosa, ou de alguém que nos ama e nos ajuda a realizar as tarefas da vida.

O Amigo verdadeiro nos mostra que não estamos sozinhos. Ele não quer te prender, ele é aquele que aceita e estimula qualquer mudança sua, sem medo de te perder por isso. Ele não quer que você fique estagnado, no mesmo lugar. Ele compreende que é preciso que você mude para crescer. Um Amigo ajuda você a se conhecer e se compreender cada vez melhor. Numa troca permanente, um enxerga no outro o seu melhor reflexo.

Mesmo diferente de você, um grande Amigo é sempre complementar.

A escolha dos amigos vai ser determinante para sua coerência com o que você é. O verdadeiro Amigo nos ensina. Mas atenção: também virão amigos para nos desviar do nosso rumo e nos tirar do caminho que traçamos. Devemos buscar coisas e pessoas com as quais realmente nos identificamos.

Com amigos verdadeiros a gente aprende a escutar, a ter humildade em vez de orgulho. Junto deles sentimos que pertencemos a uma mesma tribo, fazemos parte de um mesmo grupo, não estamos nunca isolados.

Seja amigo dos seus amigos. Mas lembre-se: seu principal amigo tem que ser você mesmo.

Não podemos exigir dos outros aquilo que
nem nós mesmos somos.
Seja o amigo que você quer ter.

Somos um reflexo
do que vemos nos outros.
Vamos ficar perto de pessoas que nos
mostrem o nosso melhor.

Todos somos um pouco estranhos e viver
às vezes é bem estranho.
Mas sempre tem alguém tão estranho
quanto você pra seguir junto.

Seja íntimo de você mesmo.
Íntimo de todos os que você ama.
Quem te ama te deixa ser quem você é.

Faça de seu amor o seu melhor amigo.
Ame quem faz você ser uma pessoa melhor.

Ame a intimidade. Não tem coisa melhor.
Não existe briga que resista a um abraço.

Fique longe de quem
drena sua energia.
Tenha amigos que somam.

Não se importe com quem não se
importa com você.
Não se perca por quem não se
importa de te perder.

Aprender a escutar é uma arte.
Escutar é um grande gesto de amor.
Escute o outro, mas, acima de tudo,
escute você mesmo.

Saiba ouvir e quando falar tenha paciência.
As pessoas só vão te escutar quando estiverem prontas.
A gente só escuta quando está na sintonia certa
e só captamos o que está na nossa frequência.

Seja verdadeiro.
Se você é fiel a si mesmo, nunca vai ser
falso com ninguém.
Aprenda a guardar segredos.
Que seja verdade quando você disser:
pode confiar em mim.

Ninguém está sozinho.
Estamos todos unidos numa forte energia amorosa.
Quando estamos perto de alguém que nos quer bem,
a noção do impossível se torna possível.

Você não está aqui à toa. Ninguém está.
Cada um de nós é importante para alguém.
Saiba que você faz diferença
na vida de muita gente.

Muitas vezes, quem a gente menos espera
é quem vai nos ajudar mais.

Valorize seus amigos.
Um dia, as pessoas partem e perdemos
a chance de dizer o quanto elas são
importantes em nossa vida.

Ajude quem você não conhece.
Reze pelos outros.
Torça pra que as pessoas sejam felizes.
Deseje o bem de estranhos.

Amigo é quem defende a gente
pelas costas.

Faça uma gentileza para alguém
que você não conhece.
Pode ser a única coisa boa
que acontecerá com ele hoje.
Pratique anônimos, inesperados
e desinteressados atos de gentileza.

Em vez de olhar cor, credo ou orientação sexual,
olhe a índole. Igualdade é você se ver em todos
e ver todos em você. Somos um.

A amizade é feita de laços invisíveis e atemporais.
Um amigo verdadeiro nunca nos abandona,
mesmo quando se distancia.
Um amigo verdadeiro vai estar sempre perto
quando um dia a gente precisar.
Um amigo verdadeiro é pra sempre.

✳ **O objetivo:** *Tomar a decisão que seja coerente com sua verdade, com o que você realmente quer, diante de qualquer escolha.*

✳ **A ação:** *Ouvir o que o coração diz.*

✳ **O risco:** *Cair na cilada de optar pelo mais fácil, ceder ao imediatismo e se desviar do caminho.*

10

A Encruzilhada

Uma das coisas mais difíceis da vida é fazer escolhas. Fazemos escolhas o tempo todo. Grandes e pequenas. A cada fração de segundo, fazemos uma escolha. Algumas são imperceptíveis. Outras mudam nossa vida.

Toda Encruzilhada exige uma escolha. É ela que nos oferece a tentação de sair do caminho. Basta uma decisão e você sai da sua rota, perde o rumo e arrisca tudo. Às vezes, você vai sem pensar; às vezes, passa por uma sucessão de dúvidas, incertezas e medos, pode recuar e fugir, mas nada disso evita a Encruzilhada. Ela continua lá, ela não sai do lugar. Vai aparecer muitas vezes ao longo de todo trajeto, companheira irresistível de toda jornada. Em todos os aspectos da nossa existência, ela vai nos mostrar suas inúmeras faces. Vai se esconder atrás de máscaras e disfarces ou se exibir inteira e poderosa, exigindo de nós uma escolha. Buscamos escolher de acordo com nossa vontade, com nossos valores e, no entanto, podemos fazer escolhas que nos afastam dessa coerência.

Muitos acreditam que a Encruzilhada, com seus atalhos, é o Universo testando para ver o quanto você deseja alcançar seu sonho. O quanto você está focado e não vai se deixar levar pela vaidade, ganância, orgulho e outras tentações espalhadas por aí para te atrair e te trair.

Mas não se engane. O seu teste maior é de você com você mesmo. É saber ouvir quando o coração bate mais forte e mergulhar mais profundamente na sua verdade. No trabalho, na relação ou em qualquer circunstância, você sempre vai saber o que mais quer, se souber se perguntar.

E a resposta vai estar no amor. O amor verdadeiro que te faz melhor e mais forte. Que te faz crescer, expandir, e espalhar alegria e felicidade por onde você passa, esse amor incondicional que se constrói devagar e constantemente. É ele que vai te orientar em todos os momentos. O amor é que vai ser sua bússola.

O que nos define
é o lado que escolhemos.

A gente se transforma
naquilo que pensa.

Você nunca sabe
o quanto você é forte,
até que ser forte
seja sua única escolha.

Nunca deixe o medo escolher por você.
Mesmo quando o que você escolher te assusta.

Ninguém pode julgar suas decisões
sem antes entender suas razões.

Não tente ser normal.
Seja tudo o que você pode ser.
Seja maravilhosamente fora dos padrões.

Você nem sempre pode escolher
o caminho, mas sempre pode escolher
sua maneira de olhar para ele.

No meio do caos, da pressa,
das pressões, antes de qualquer decisão,
ouça seu ritmo interior.

A real decisão implica numa nova ação.
Se nada mudar, não foi uma real decisão.

Inteligência não significa não errar,
mas não tornar a cometer o mesmo erro.
Com a experiência, a gente aprende a não cair
duas vezes na mesma armadilha.

A gente tem que saber que
basta olhar os problemas por um novo ângulo
para perceber que existe outro caminho,
cheio de novas possibilidades.

Você é o que você sente.
Você é o que você pensa.
Você é o que você come.
Você é a sua escolha.

Para tomar decisões, siga a que te dá a alegria mais genuína, mais simples, mais verdadeira.

Quando o coração travar batalha com a mente, não tome nenhuma decisão. Nem sempre é necessário decidir. Nenhum rumo deve nascer do conflito.

Todo mundo nasce chorando. Viver sorrindo vai ser uma opção de cada um.

Faça as escolhas que te fazem bem.
A cada escolha, priorize sua paz
de espírito e sua serenidade.

O espírito divino é sutil.
Ele te aponta caminhos
quando você presta atenção.

Somos livres, livres como
os pássaros para voar e escolher
a nossa própria direção.

✳ **O objetivo:** *Equilibrar nossas regras com as regras do mundo.*

✳ **A ação:** *Saber se posicionar e aprender a ouvir o outro. Ser flexível e respeitar as diferenças.*

✳ **O risco:** *Julgar com preconceito, agir com prepotência e atitude autoritária. Ou sucumbir e se anular.*

11

As Leis do Mundo

Depois de muito percurso, de erros e mudanças, você começa a decifrar as Leis do Mundo. No início da estrada, você andava muito confiante nas suas próprias leis. Tinha a coragem de se jogar e acreditava que você é que faria suas regras.

As Leis do Mundo representam o momento em que nos conscientizamos dos limites impostos pelas leis dos homens. É o processo de amadurecimento conquistado a duras penas ao longo da jornada. Você percebe que nem tudo acontece conforme seus planos, porque as regras do jogo da vida nem sempre se parecem com as suas. E você vai ter que pagar um preço pela liberdade de querer fazer as coisas do seu jeito.

Cada um aprende no seu tempo. Você vai precisar desenvolver o lado racional, a esperteza, a sagacidade, a diplomacia. Precisará da astúcia para enxergar por trás das máscaras e das palavras, e de humildade para ouvir e compreender o outro. Temos que domar nossa arrogância de achar que já sabemos tudo, e nos submeter a um aprendizado de como conviver com os outros, não os julgando por falhas que às vezes nós mesmos temos. É um processo que pode ser difícil e demorado. Você vai precisar de equilíbrio para tomar decisões com mais segurança e justiça.

Temos que aprender a avaliar ponderadamente as consequências de nossas ações, não só para nós mesmos, mas para o nosso campo de influência. Aprendendo a ouvir, você vai poder colocar melhor suas próprias ideias e assumir a responsabilidade por suas ações. A flexibilidade nos torna mais competentes e eficazes em tudo que fazemos.

Nossas decisões e argumentos serão mais respeitados e eficientes quando acatados, não por causa da nossa autoridade ou força, mas pela sabedoria com que os apresentamos. Assim, a paz no mundo nunca virá pela força, mas pelo entendimento e respeito que temos uns pelos outros.

Você atrai aquilo que você é,
não aquilo que você quer.

Aquilo que você diz dos outros
revela você mesmo.
Quem julga não define o outro,
define a si mesmo.

O poder não corrompe, ele revela.
E o tempo é o mestre absoluto
de toda revelação.

Sua consciência importa mais do que sua reputação.
Sua reputação é o que os outros pensam de você.
Mas a sua consciência é o que você é.
Ser é muito mais importante que parecer.

Felicidade não é ausência de problemas,
mas busca de soluções.

Não pense na doença,
pense na cura.

Abrace os desafios com fé.
São eles que vão te revelar
o poder que você tem.

O verdadeiro líder distribui
seu poder aos outros.

Não compare sua vida
com a de ninguém.
Em vez de pensar
no que o mundo te deu,
pense no que você deu ao mundo.

Ninguém tropeça em montanhas.
É prestando atenção nas pequenas
pedrinhas do caminho
que a gente alcança o que quer.

Faça todo e qualquer trabalho compreendendo seu significado. Achar um significado para o que se faz é essencial pra ser feliz.

Existe uma enorme diferença entre a lei dos homens e a lei do Universo. A maioria se preocupa com a primeira e ignora a segunda. Procure compreender a maior, a mais abrangente. A outra será uma simples consequência.

Ser ativo em vez de reativo, essa é a fórmula mágica.

Vive melhor quem sabe se adaptar às mudanças
e às novas circunstâncias.
Seja flexível. O bambu verga, o carvalho cai.

Defenda aquilo que você acredita.
Mas não se feche para novas visões de mundo.
Adaptar-se é compreender
que as diferenças acrescentam.
Ame as diferenças. Ame a diversidade.
Ame a mistura.
As diferenças são as muitas faces de Deus.

Antes de julgar, compreenda.
Antes de comentar, se informe. Antes de falar, pense.
Antes de tudo, tenha compaixão.

Você reconhece alguém
com alma superior
pela gentileza com que trata
subalternos e estranhos.

Aprender é um exercício contínuo.
Nunca se feche para novas lições.
Aprenda bem as regras do jogo
e jogue cada vez melhor.
Aceite o que você não pode mudar
e mude o que você não pode aceitar.

E se aquilo que agora parece um erro
mais tarde ficar provado que foi a melhor
coisa que poderia acontecer?

✻ **O objetivo:** *Aceitar com humildade sua batalha interior de sentimentos para descobrir seus verdadeiros valores e não aqueles que o mundo quer impor a você.*

✻ **A ação:** *Procurar na crise um novo ponto de vista, uma perspectiva que traga um novo estado de espírito.*

✻ **O risco:** *Não encarar o debate interior e usar recursos externos para disfarçar sua fraqueza, sua vulnerabilidade.*

12

O Deserto

Existe um momento, quando olhamos em volta, em que o mundo parece invertido, pois os valores estão tão distorcidos que já não conseguimos mais nos orientar. Estamos em um Deserto. A gente não se identifica, não pertence àquilo. Mas o que fazer? Nos deixamos levar? Nos entregamos? Traímos a nós mesmos, nossa origem e nossa essência? Desistimos?

Entramos numa espécie de suspensão, de crise, em que não somos mais o que éramos e não sabemos ainda o que iremos ser. Nesse pedaço do caminho, é fácil ficarmos atolados. Ficamos em suspenso, rodando em círculos, sem encontrar uma saída.

Esse é mais um rito de passagem, e representa a necessidade de um retiro, de um sacrifício voluntário, em que a solidão é o isolamento para a compreensão e o crescimento. É o Deserto que se abre à nossa frente, e é lá que temos de entrar e nos perder para conseguirmos nos encontrar. Ele nos leva para nosso lado escuro, introvertido, vulnerável, para a parte desconhecida de nós mesmos. Para a nossa fraqueza.

Aqui existe o perigo de negar e reprimir em nós a nossa sombra. Lutar contra o que sentimos só vai criar comportamentos mais distorcidos. Quando se sai da trilha, é preciso buscar uma nova perspectiva. Temos que mergulhar sem medo na crise porque ela é parte fundamental no processo de autoconhecimento. Precisamos aceitar o que nos invade para conseguir ver as coisas por um novo ângulo, por um novo estado de espírito. É preciso enfrentar.

Olhe sua bagagem. Veja o que você trouxe. Lembre-se do que você já sabe. Lembre-se da força do seu sonho, de seus amigos, de quem te ama, dos conselhos. Tenha calma e junte tudo. Há sempre uma saída. É só ter paciência. É só não se desesperar. É só não estagnar.

Às vezes, é só um mau pedaço de um bom caminho.

*Perder-se um pouco faz parte do jogo.
A confusão, a sensação de estar perdido,
a falta de perspectiva fazem parte da estrada.
Mas não são a estrada.*

*Quando o território parecer árido
e o vento bater contra, quando você
se desorientar e não souber o rumo,
pare e tente entender o que você sente.
No fundo do seu coração,
você sabe para onde tem que ir.*

Sei que parece estranho,
mas tem vezes que a gente precisa se afastar
para chegar mais perto.

Estar só não significa se sentir solitário.

As barreiras que nós mesmos construímos
são as que impedem a nossa passagem.

Não se deixe guiar por seus medos,
nem faça deles a sua prisão.
Os medos passam e você continua.

Se a gente não lutar pelo que quer,
acaba aceitando o que não quer.

Encare o que te incomoda.
Compreenda a razão. Solucione.
Os problemas fáceis se resolvem.
Os difíceis são os que imaginamos ter.

Não se perca no caos em volta de você.
Resista para não ser carregado
como um graveto na tempestade.

Não permita que as coisas que você
quer conquistar façam você esquecer
as que já conquistou.

Para ser mais forte,
tenha a coragem de deixar
seu coração mais vulnerável.

Uma crise é sempre uma oportunidade de crescer.
Crise é crescimento. E crescer sempre dói.
Em caso de crise, crie, invente, ache a sua saída.
E lembre-se de que um dia você vai rir disso tudo.

A luz aparece para aqueles que
continuam lutando,
mesmo quando todos já desistiram.

Um pouco de loucura é necessária
para que a vida tenha algum sentido.

Para ter a melhor resposta,
compreenda qual é sua melhor pergunta.

Você sabe que os valores estão invertidos
quando as coisas essenciais
estão soterradas pelas coisas materiais.

Não se deixe aprisionar por
sentimentos negativos. Existe uma força
interior no centro do seu ser.
Use o seu melhor, esse é o seu poder.
Você vai conseguir.

Às vezes, parece que o mundo virou
de cabeça para baixo.
Mas aí a gente ajusta o olhar
e vê a vida por outro ângulo.
O segredo consiste em ver as mesmas coisas
com um novo olhar.

O primeiro passo
para resolver um problema
é aprender a olhar com leveza.

Nos lugares mais improváveis, procure pela beleza.
Preste atenção nas coisas belas.
Do cacto também nasce a flor.

✳ **O objetivo:** *Encerrar um ciclo. Aceitar a transformação. Libertar-se.*

✳ **A ação:** *Desapegar-se do que já passou. Buscar o melhor do momento e abraçar novas oportunidades.*

✳ **O risco:** *Ser inflexível, não aceitar mudanças, ter rigidez e não querer se transformar. Sucumbir ao orgulho do ego.*

13

O Precipício

O movimento da natureza é um eterno ciclo de criação e destruição. Tudo o que nasce morre, e é reutilizado em uma nova criação. Mas, às vezes, há um espaço entre o fim de um caminho e o início de outro. Esse é o Precipício.

Quando alguma coisa termina na nossa vida, quando se fecha um período, como o encaramos? Como uma perda ou como uma transformação? Todo fim é uma transformação. E no entanto todo fim nos dá medo.

Quando uma fase chega ao seu final, é chegada a hora do adeus. Uma etapa termina para dar início a outra. Se olhando para trás nos despedimos, olhando para a frente devemos celebrar o que está chegando. O que é morte para uma lagarta, é nascimento para a borboleta. Claro que é muito difícil ter essa perspectiva no momento. Quando chegamos ao final de uma etapa, pode parecer que todo o nosso esforço foi em vão. O que fazer?

Podemos cair em uma crise sem fim, ser invadidos por angústia, dor e desespero, até o limite do esgotamento, e olhar tudo como um fracasso permanecendo com o coração pesado, no inferno interminável com o qual nos identificamos...

Ou então podemos abraçar a mudança como o caminho da liberação, e aprender, como a serpente, a trocar de pele. Usar a oportunidade de nos repensar, reinventar, e compreender que aquele trajeto não era o único, e que cada passo que damos inventa um novo caminho. Quando se compreende isso, a coragem volta e com ela voltamos a confiar. Desapegamos do que passou e daquilo que já não somos mais, agradecendo tudo o que vivemos.

Uma enorme paz interior vai nos envolver com tamanha leveza que vamos conseguir agora transformar a descida ao Precipício no possível prazer de um novo voo.

Lembre sempre que em todo fim existe um começo pronto para acontecer. Pode se preparar.

Vamos morrer e renascer muitas vezes durante
esta vida, e isso cada vez representa
uma nova expansão.
Só o medo transforma a beleza desse ciclo
numa experiência dolorosa.

Todo final é um ponto de transformação.

Você pode mudar, transformar tudo e a si mesmo.
Mas saiba mudar sem perder sua essência.

Não existe perda, existe movimento.

Transforme sua derrota num impulso para o sucesso. Faz força pra baixo quem quer saltar.

Errar, cair, perder, isso não significa derrota. Como você pode ter fracassado se ainda continua tentando? A única derrota é a desistência.

Cada vez que você supera um obstáculo, você também se supera.

Aceitar e compreender nossas fraquezas
é o que vai nos dar a verdadeira força.
O segredo consiste em aceitar a vitória e a derrota
com a mesma serenidade.

Sabe de onde vem a coragem?
Da necessidade!
Na hora em que a gente realmente precisa,
ela aparece.

Se tirarem seu chão, invente asas.

A vida sempre nos mostra novos caminhos
quando achamos que não existe mais saída.

Não se preocupe se não tiver
luz no fim do túnel.
Você pode acender a sua própria.

Mesmo do fundo do abismo,
você pode enxergar as estrelas.

Às vezes, é justamente
quando alguém te abandona
que você se encontra.

É inútil tentar preencher nosso vazio com ilusão.
Ilusão não nos preenche.

Mesmo despedaçado, viva com inteireza.
Mesmo machucado, acredite.
O que passou já foi.
Tudo começa agora.
Renove a cada dia o espírito do amor.

Não há nada no mundo
que compense
viver uma vida de aparências.

Quando alguém resolve ir embora,
não é o fim da vida.
É o fim dessa história na sua vida.

Não desanime nos momentos difíceis.
Os problemas acontecem sempre
antes das grandes soluções.

Recomeçar parece um desafio,
mas é uma linda renovação.
Você recomeça e compreende que pode mais
do que imagina, é mais forte do que pensa
e tem mais sabedoria e força
do que acredita.

❊ **O objetivo:** *Mergulho profundo para encarar e nos livrar do que não queremos ver dentro de nós. A liberação maior.*

❊ **A ação:** *Descartar nossa fraqueza, dependência de falsas soluções. Evitar lugares, situações e pessoas que nos empurrem novamente para o abismo.*

❊ **O risco:** *Permanecer vítima dos outros e de nós mesmos. Sucumbir aos nossos traumas e tentações, nos deixar fascinar e acreditar no poder que nos é imposto.*

14

O Adversário

Depois de atravessar o Deserto e descer ao fundo do Precipício, existe mais uma prova na jornada rumo ao sonho. O momento do grande confronto com o nosso maior Adversário, que toma infinitas formas. Ele pode se manifestar como uma pessoa, uma situação, uma limitação, ou uma série de circunstâncias. Mas não se deixe iludir: o verdadeiro Adversário está sempre dentro de nós mesmos.

Para alcançar a plenitude do sonho, temos que olhar nossos piores pesadelos, a parte que não lapidamos, que permanece em estado bruto, alguma coisa com a qual nunca quisemos lidar, achando que, se fosse ignorada, ela desapareceria. No entanto, é justamente ela quem nos sabota, desorganiza nosso sistema e instaura o caos nas nossas células. Tudo o que trancafiamos e acorrentamos para não ter que lidar, na verdade, nos mantém acorrentandos.

Nossa relação com nosso inconsciente, nossa sombra, é o que determina como vamos enxergar os desafios que a vida põe na nossa frente. Acabamos projetando em cada coisa que nos acontece todos os aspectos que reprimimos em nós mesmos. Assim, criamos demônios e infernos particulares, transformamos pessoas e circunstâncias da nossa vida em nossos inimigos.

O demônio passa a estar no cotidiano, em companhias que nos fazem mal, em hábitos de estagnação ou excesso, em dependências e vícios que trazem alívios artificiais, em sensações simuladas de uma alegria que não resiste ao dia seguinte. Aqui se fabrica grande parte da geração tarja preta que busca solução para a insuportabilidade. O sintoma é o aviso do problema, mas não é o problema. Não podemos tratar somente o sintoma, temos que mergulhar em nós mesmos e descobrir a causa.

O que escolhemos para viver é a manifestação do que somos. O nosso destino é consequência do que projetamos.

Não escute ninguém que diga que você não vai conseguir. Nem você mesmo.

Não acredite em nenhum pensamento seu que for gerado pelo medo. Seu medo não tem poder sobre você.

Suas únicas limitações são as que você cria. Faça um acordo de paz na guerra com você mesmo.

Toda superação virá, como uma onda
vem atrás de outra.
Assim como no mar, compreenda quando resistir
e quando se deixar levar.
Você vai encontrar a calma do mar
depois de conseguir passar pela rebentação.

O verdadeiro poder não é sobre os outros.
É sobre você mesmo.

Você só vai conseguir mudar alguém
mudando a si mesmo.

Você pode se deixar levar pela escuridão do outro ou trazer o outro para sua luz.
A escolha é sua.

Diga não a quem não te valoriza.
Afaste-se de quem te sabota.
Diga adeus a quem consome sua energia, mesmo sem querer. Você não tem tempo a perder com quem não gosta de você.
Use seu tempo e energia para amar quem te ama.

Não deixe qualquer sofrimento
distorcer seu sentimento.
Não permita que a mágoa te transforme
naquilo que você não é.

As pessoas só invadem sua vida
quando você permite.

Aquele que riu de você, que falou mal de você
ou que quis te prejudicar não diminuiu você.
Só ele mesmo.

Agradeça a quem quis te derrubar,
pois ele só te fortaleceu.

O ciúme é uma flecha que fere quem a atira.

Que o nosso combate seja pelo fim das guerras
e que a nossa luta seja pela paz.

Muitas vezes, o que parece um erro é um acerto que demora a acontecer. Um acerto a longo prazo.

Sua maior vitória será sempre vencer você mesmo.

✳ **O objetivo:** *Libertação de tudo o que estava escondido e impregnado dentro de você.*

✳ **A ação:** *Entregar-se. Permitir que tudo desmorone para que uma nova ordem possa acontecer depois dessa limpeza.*

✳ **O risco:** *Permanecer na defesa de estruturas superadas, cristalizadas dentro de você. Arrogância e prepotência na defesa irracional do que se tem medo. Não aceitar a mudança e voltar aos mesmos velhos maus hábitos de comportamento.*

15

A Tempestade

De repente, inicia-se um vendaval. Nuvens escurecem o céu e você sente a energia do ar que antecede a Tempestade. Você abre os braços em cruz no meio do redemoinho depois do mergulho profundo dentro de você.

Você viu o que nunca teve coragem de encarar, enxergou sua face oculta, seu medo de enfrentar, e abriu seus porões mais secretos. Você traçou com suas escolhas as nuvens que vão cobrir seu horizonte. O céu reflete a escuridão de chumbo de tudo o que você vinha carregando. Você passou pelo caos, atravessou o deserto, fez da busca o seu exílio voluntário, se deixou cair na profundeza do abismo e teve a ousadia de desafiar seus demônios. Quebrou as correntes, soltou suas amarras e, por fim, agora está passando a rebentação, no meio da tempestade.

Você vai expurgar tudo isso no processo da grande transformação, da grande catarse. Agora você está no vórtex, no olho do furacão. No estrondo dos trovões, a voz da natureza parece ecoar os gritos abafados dentro de você. Um raio que atinge sua escuridão faz desmoronar a velha ordem e não deixa pedra sobre pedra. A água vem para lavar a alma e vai limpar o que o impedia de se tornar tudo o que você realmente é, e levar embora o que você não é mais.

Essa é a ruptura, a libertação. Agora, nenhum abrigo é mais necessário. Não precisamos mais nos proteger. Vencemos o que nos impedia de seguir em direção ao nosso sonho, e um campo imenso se abre diante de nós. É um mundo de possibilidades que se descortina para ser percorrido.

Podemos correr e abraçar a Tempestade com a certeza de que todas as passagens foram fundamentais para chegar até aqui. Vamos abrir os braços agradecendo tudo o que veio. Vamos sentir a comunhão perfeita com a liberdade e descobrir que essa é a melhor sensação do mundo.

Quando a nuvem escura encobre o sol,
curta o clima nebuloso.

Não existe situação que não se transforme.
Encare qualquer obstáculo como uma transição
para um momento melhor.
Em tempos difíceis, quando se perde o rumo,
a fé é o nosso farol.

Se você fez tudo o que pôde
e foi até onde tinha que ir,
mesmo a derrota é uma vitória.

Para superar tempos difíceis
lembre-se que cada obstáculo que você enfrenta
te faz melhor.

Não tenha medo da crise.
A crise é um resultado, não uma causa.
Abrace a sua.

Toda crise é uma catarse.
Você está limpando o caos dos seus sentimentos,
expurgando o que te faz mal.
A crise vai te trazer a purificação,
a única libertação possível.

Tudo pode mudar mais rápido
do que você imagina.

Ser forte é saber sorrir de manhã,
mesmo quando se chorou à noite.

Temos um coração valente.
Ele sofre, se quebra, se machuca, se deixa arrebentar,
resiste bravamente até voltar a amar.
Mesmo com seu coração machucado,
não desista do amor, porque o amor cura.

Chorar de vez em quando só faz bem.
Se deixe chorar.
Tem dias que a gente chora e tudo melhora…

Quando as coisas se complicarem, respire,
respire fundo, respire agora. Você melhora na hora.
Respire mais uma vez, respire longamente.
Faça do seu respirar o seu sorriso de dentro.

Num momento de crise, tome um sorvete.

Lembre que você pode transformar
sufoco em serenidade.
Nossa alquimia transforma
escuridão em luz.

Na crise, não se feche.
Deixe as portas abertas para o novo.
Faça como a natureza: renove
sua energia a cada primavera.

Você não precisa procurar novos lugares.
Você precisa olhar com novos olhos.
O caminho nunca é o mesmo
quando se renova o olhar.

Cada vez que seu pensamento vira uma ação,
seu caminho se redesenha.
Toda vez que você muda pensamentos negativos
em positivos, seu caminho se ilumina.

A mágica da vida é que cada prova e cada desafio
nos transporta para um lugar mais feliz.
Depois dos temporais vai haver um pôr do sol
brilhando numa nuvem dourada,
a copa de uma árvore com flores molhadas
e pássaros te mostrando como é fácil ser livre.

Assim como o sol, você passa por todas
as tempestades e volta a brilhar.
É bom lembrar que um temporal
sempre pode trazer um arco-íris.

Nunca deixe de olhar um arco-íris
até ele sumir.

❊ **O objetivo:** *Encontrar sua certeza interior e sua missão.*

❊ **A ação:** *Estar atento e saber reconhecer e escutar cada mestre que cruza seu caminho. Saber ler cada sinal.*

❊ **O risco:** *Virar uma pessoa cética, cínica, defendida de toda possibilidade de novas conexões. Julgar, criticar, usar o sarcasmo como defesa.*

16

O Mestre

Toda jornada tem uma missão. Mesmo que você ainda não saiba qual é a sua, o seu instinto e a sua intuição já o conduziram quando você iniciou o percurso. E existem sempre os anjos, os Mestres, que nos guiam para descobrirmos.

O Mestre pode vir de qualquer lugar, pode ser qualquer pessoa, estar na figura de um animal, de uma criança, de um parceiro amoroso. De cada um aprendemos alguma coisa. Ele vai nos dar força, nos tranquilizar e conduzir, e sempre aparecer no momento preciso. Com ele descobrimos que nossa missão é simples. É o que nos traz contentamento, sensação de tarefa cumprida, plenitude e felicidade.

E mesmo que demore para descobrirmos sempre será na hora certa. As pessoas aparecem quando estamos na frequência exata para receber o que nos trazem. Com o Mestre, descobrimos nossa verdadeira vocação. Quando isso acontece, nosso brilho maior aparece. Porque fazer o que se gosta e gostar do que se faz é um dos melhores sentimentos do mundo.

O Mestre nos salva quando estamos no limite, no limiar, à deriva, no fio frágil que nos separa do risco. Viver é sempre perigoso. Fomos jogados nessa vida sem explicação, sem um manual de sobrevivência. Desde a fecundação, lutamos e fomos vencendo cada etapa do processo da tomada de consciência, e o Mestre abre esse caminho. O que somos vai ser o resultado de como reagimos a cada um dos acontecimentos da vida e como gerenciamos sentimentos, circunstâncias internas e externas e governamos nosso destino. Somos um misto do que nos é designado e do livre-arbítrio de cada escolha. Compreender e estar atento a isso faz parte da missão que trazemos.

Desde o início dos tempos, existe a busca da jornada e do seu significado. Existir é dar um sentido à vida. Cada um sabe de si e Deus sabe de todos.

Um dia a gente ajuda alguém.
E um dia alguém nos ajuda.
Essa é a corrente.

Você não está aqui à toa. Ninguém está.
Cada um de nós é importante pra alguém.
Pense nisso.

Pode ficar sereno. Existe um anjo perto de você.
Invisível, ele te protege.

O espírito divino é sutil. Ele te aponta caminhos quando você presta atenção. Existe um poder enorme num toque, num sorriso, numa doce palavra.
Pratique esse seu poder.

Educar não significa apenas alfabetizar.
Educar é transmitir bons valores,
ensinar a pensar o mundo,
cuidar da natureza, dos outros e de si mesmo.
Aprender é um exercício contínuo na vida.
Nunca se feche para novas lições.

Cada vez que você assume um erro,
você ganha a certeza do aprendizado.

Uma boa pergunta para
se fazer a cada dia:
o que eu aprendi hoje?

Saber ouvir é uma arte.
Quanto mais quieto se escuta, mais se aprende.
A sabedoria nasce do silêncio.
No silêncio, você escuta a voz de Deus.

Nós nunca estamos sozinhos,
estamos sendo orientados por alguém,
mesmo quando a gente não percebe isso.

Não queira ser melhor que ninguém.
Queira ser o melhor que você pode ser.

O tempo tem uma maneira maravilhosa
de mostrar aquilo que realmente importa.

Nem no alto nem no baixo,
nem arrogância e nem submissão,
mas o equilíbrio de todas as forças,
à altura do seu coração.

A mente busca o conhecimento.
A sabedoria busca o amor.
A sabedoria supera o conhecimento,
ultrapassa a imaginação
e alcança o ponto mais alto do amor: a compaixão.

Além da tolerância, compreensão.
Além da diversidade, aceitação.
Amor acima de tudo.

Na simplicidade do branco
estão ocultas as complexidades das cores.

Se você não se esconder,
o amor vai te achar em qualquer lugar.

Você pode saber quem você é,
mas ainda não sabe tudo o que pode ser.

Nunca estamos isolados.
Mesmo sozinhos, pertencemos a uma grande unidade,
somos parte de uma energia universal,
fazemos parte do todo.

Perceba o sagrado. Ame o seu divino.
A divindade está dentro de você.

Compreenda a sua missão.
Cuide das coisas grandes e das pequenas
com a mesma importância.

Tenha fé que viver é uma missão sagrada.

✳ **O objetivo:** *A sabedoria, o alinhamento com as estrelas. Ter uma nova inocência.*

✳ **A ação:** *Manter atento o nosso senso de observação e olhar o mundo com a melhor energia.*

✳ **O risco:** *Viver apenas da esperança e não saber distinguir o que é ilusão.*

17

A Estrela

Agora que você conhece a sua missão, como em todas as lendas, uma Estrela no céu vai te guiar. Ela representa a visão do seu futuro, o seu ponto de orientação. As nuvens se dissiparam, os desafios ficaram para trás, e você segue serenamente em direção ao que quer alcançar.

Quando você conectar os pontos de sua jornada, vai perceber que as coisas que deram errado foram essenciais para você alcançar o que precisava. Se elas tivessem dado certo, teria sido um desastre para o seu caminho. Você se preparou e a sorte o acompanha. É a força da serendipidade que nos leva, aparentemente por acaso, a descobrir coisas inesperadas e maravilhosas quando estamos buscando outras.

Aqui acontece o alinhamento. Você se conecta com as leis do Universo e agora tudo jorra em abundância. Destruímos as muralhas da prisão e não existem limites para nossa imaginação. Agora olhamos para o futuro com a sabedoria do Cosmo, livres da limitação do antigo olhar estreito. Finalmente, temos o vislumbre e a compreensão.

Tudo o que captamos por todos os nossos poros, toda a nossa percepção vem da nossa experiência e da nossa maneira de olhar. O que vemos e sentimos passa a ser a nossa realidade. Somos nós e as nossas circunstâncias. Quanto mais abrangente for nossa visão e compreensão, maior será nossa dimensão. Nosso trabalho é conectar o que temos em volta com o que carregamos dentro. Conectar nosso sentimento com o sentimento do mundo que queremos. E quanto maior for a extensão do que conectamos, maior será o alcance da nossa energia. Até o momento em que conseguiremos trabalhar com as forças mágicas do Universo.

Estamos todos debaixo do mesmo céu.

Quando você aprende a querer,
sua estrela vem a você.

É sempre bom deixar que o acaso
nos traga uma feliz surpresa.

Acredite: o que é seu virá a você.
Se você acredita no bem, ele vem.

Temos todos uma luz maravilhosa
dentro de nós.
Não deixe que nada nem ninguém
apague a sua.

Quando você alinha sua energia
com a energia do Universo,
você canaliza uma força maior
que vai te guiar para alcançar seu propósito.

O importante
não é o que você olha,
é como você vê.
A beleza que você vê
é a que está em você.

Somos um reflexo do que vemos.
E o que vemos é um reflexo
do que sentimos.

Uma noite dessas,
deite debaixo do céu com quem você ama
e conte um monte de estrelas cadentes.

Experienciar momentos vale mais do que possuir coisas.

A gente sabe que é felicidade quando não quer que aquele momento acabe.

Para ser feliz basta pouco. O resto é uma ilusão.

É preciso fantasia
para equilibrar a realidade.

Nossa busca é tentar recuperar
a delicadeza perdida.

Se o mal é de alguns, o bem é de todos.

Bom não é ser sempre o mesmo.
Bom mesmo é ser sempre melhor.

Seu corpo é uma divindade.
Cuide bem dele. Faça a energia fluir.
Renove seu estímulo e espalhe entusiasmo.

Quem só dá valor às pedras consideradas preciosas
não entende a beleza da Criação.
Cada coisa tem sua beleza, assim como cada pessoa.

O mais lindo mosaico
é feito de muitos cacos.

✳ **O objetivo:** *Olhar seu trajeto e tudo o que você passou com leveza e compaixão.*

✳ **A ação:** *Perdoar os outros e a você mesmo. Celebrar sua história.*

✳ **O risco:** *O medo de mergulhar, o medo de encarar sua verdade. Olhar negativo do passado.*

18

A Lua

A jornada até agora foi dura. Mergulhamos no abismo, enfrentamos nossos demônios, mas, se continuarmos com determinação no caminho, poderemos vislumbrar nosso sonho no fim do túnel. Porém, ainda resta uma última grande prova: a Lua.

A Lua representa a autorreflexão, um mergulho nas profundezas do nosso ser. Todos carregamos traumas, cicatrizes, marcas da viagem. Enquanto caminhamos, nossa energia e foco estão engajados em provas e tarefas. Uma vez que alguns objetivos externos foram alcançados e as distrações minimizadas ou eliminadas, nossa energia flui para o inconsciente e ativa o que está lá dormente. Antes projetávamos o adversário no mundo externo, agora temos a sabedoria de enxergá-lo em nós.

É um momento muito importante. Estamos diante de um espelho. Como vamos encarar o que vemos? Olhar as marcas do que passamos e ter pena de nós, remorsos por nossos erros? Ou ver nossas cicatrizes como sinais de uma grande aventura, etapas necessárias para o nosso crescimento? Ter gratidão pela jornada que nos trouxe até aqui e nos livrar dos medos e culpas que nos ancoram nos mares profundos do inconsciente?

A verdadeira manifestação do nosso sonho não está completa, mesmo que pareça. Podemos ter construído uma empresa, um relacionamento ou uma posição de influência, não importa. Se não estamos alinhados com a felicidade, então, para todos os efeitos, o sonho não se manifestou. Não estaremos presentes, inteiros, lúcidos, ficaremos sempre com um véu nos separando daquilo que mais queríamos conquistar.

No entanto, se usarmos esse momento de autorreflexão para constatar o que ainda nos aprisiona e tomarmos a decisão de mudar a nossa visão sobre nós mesmos, poderemos vislumbrar os raios da manhã que começam a brilhar no horizonte.

Não podemos encontrar a nossa totalidade sem conhecer a nossa sombra.

Tudo o que você vê é um reflexo de você.

Não seja uma vítima do seu passado.
Seja um inventor do seu futuro.

Faça de seus erros seus melhores professores.

Você não pode voltar no tempo,
mas pode sempre usar melhor o tempo que tem.

Faça as pazes com o passado.
Só olhe para o que passou para ver
como você cresceu.
Esqueça o que te machucou,
mas não o que te ensinou.

O que você prefere:
lembrar do passado
ou sonhar com o futuro?

Não existe arrependimento.
Tudo foi como tinha que ser.

Nenhuma das suas batalhas foi perdida
se você souber ver a vitória que ela oculta.

As paixões são sempre intensas
e valem a pena,
mesmo que machuquem.

Você não começa um novo
capítulo na sua vida se ficar
só revendo aquele que passou.

Escolha: você pode sofrer porque acabou
ou ficar feliz porque aconteceu.

Questionar é uma arte.
Questionar-se é a arte das artes.

Quem busca a verdade só corre um risco:
encontrá-la.

Aceite com prazer seus limites.
E nunca encare nada como limite.
(Parece contradição, mas não é.)

É sempre bom lembrar que
ninguém precisa ser perfeito.
Aprenda a se amar e a olhar com ternura
para suas imperfeições.

Nem sempre o problema é real.
Às vezes, ele é apenas uma sombra que se projeta
na parede e parece muito maior do que é.

Perdoe mesmo quem não merece perdão,
porque você merece paz.

O que é melhor: ter razão ou paz no coração?
Perdoe, não importa quem tem razão.
O que importa é ter leveza no coração.

Perdoe os outros, mas, acima de tudo,
perdoe você mesmo.

A melhor das curas
é o amor incondicional.

A busca da serenidade passa pela gratidão.

Tire a mágoa do seu coração.
Ela não faz parte da sua vida.
Seu caminho é maior.

✳ **O objetivo:** *Reconciliar os opostos dentro de você. Unir seus fragmentos. Achar a luz.*

✳ **A ação:** *Dizer o que pensa, ser verdadeiro e reconquistar o poder.*

✳ **O risco:** *Ser negligente, arrogante com suas conquistas e banalizar a vida.*

19

O Sol

Nossa jornada começa na escuridão, no não saber. Nessa escuridão, aparece uma faísca, nosso sonho, nosso chamado, que ilumina um caminho a ser percorrido. Se traçarmos esse caminho com bravura, guiados pela consciência, se fizermos nossas escolhas a partir da confiança e não do medo, o dia inevitavelmente amanhecerá e seremos banhados na luz do Sol.

O Sol representa a reconciliação do nosso lado claro com nosso lado escuro. A conexão de tudo que desenvolvemos e encaramos ao longo do caminho. Isso acontece quando enxergamos a semente da luz dentro da sombra, e a da sombra na luz. Disso vem o famoso símbolo oriental do yin-yang, que mostra uma pequena parte de cada qualidade dentro de seu oposto. Enxergando com clareza a união e a reconciliação dos opostos, o animal na consciência mais elevada, o mundano no sagrado, trilhamos agora o caminho do meio, o equilíbrio.

Assim, juntamos todas as nossas partes fragmentadas, nossas inseguranças, nossas vergonhas, o nosso poder escondido, e os integramos em nosso lado solar. Tomamos posse de quem somos, da nossa integridade. Não de quem gostaríamos de ser, ou de quem achávamos que deveríamos ser, mas de quem realmente somos. E estamos satisfeitos com isso.

Tomamos consciência de que a nossa vontade inicial de realizar nosso sonho foi apenas um impulso para começarmos nossa jornada, e que a verdadeira realização foi a transformação que ocorreu no nosso ser: o nosso crescimento.

O sonho pode não ter se manifestado como imaginávamos, e na verdade isso raramente acontece. A vida traz suas próprias mudanças e surpresas. Mas não importa, porque estamos aqui, vivendo intensamente o brilho de nossa busca em cada momento. E qualquer caminho que nos trouxe até aqui foi o caminho certo.

Depois de toda noite vem a aurora.

Às vezes, acorde a tempo de ver o sol nascer.
Comece o dia com esse espetáculo.

Você sabia que você está cada vez melhor?
O tempo é seu grande aliado.

Deixe que o sol ilumine sua energia
e deixe sua energia iluminar o mundo.

A alegria é o nosso maior enfeite.

O entusiasmo é a chama dos deuses,
o fogo sagrado,
aquele que nunca se pode apagar.

Seja inteiro no que você traz.
Brilhe sem precisar ser mais, sem ofuscar os outros.
Você não precisa ser melhor do que ninguém
para ser o seu melhor.

Não esconda o que você sente.
A melhor maneira de viver é ser transparente.

Quem ama o que faz
fica ocupado o tempo todo
e nem acha que é trabalho.

Feliz é aquele que sabe equilibrar força e leveza.

Quebre paradigmas e expectativas.
Você não precisa ser o que
esperam que você seja.
Você só precisa ser o que você é.
Você só precisa se descobrir
e amar a descoberta.

O amor tem regras próprias e às vezes foge a todas.
Mas é sempre transformador.

Amar é loucura e paz.

O verdadeiro amor te dá
liberdade de ser você.
Escolha um amor que te deixe voar.

Ser feliz é ser simples.
O complicado é isto: ser simples.

Quem ama fica feliz
com a felicidade do outro.

Agradecer cada momento da vida
é o segredo de viver bem.
Sentir gratidão nos conecta a uma força maior.

Seja o exemplo do que você diz.
Motive alguém com seu estímulo.
Inspire alguém perto de você com seu entusiasmo.

Associe mágica e singeleza.
Doçura e beleza. Natureza e espírito selvagem.
Associe um bem supremo a todas as coisas.
Reze sem nenhuma prece.

Não existe um dia igual ao outro.
Repare no seu dia de hoje.

Escolha a alegria como sua companhia constante.
E, no caminho da felicidade, ande bem devagar.

✳ **O objetivo:** *Saber valorizar e saborear os frutos, dar valor ao que tem e ao que conquistou.*

✳ **A ação:** *Celebrar a beleza da vida a cada passo. Distribuir com generosidade o resultado da colheita.*

✳ **O risco:** *Não compreender o valor de cada detalhe que alcançamos.*

20

O Fruto

A luz do sol ilumina e nutre nosso caminho, e a semente que havíamos plantado no início de nossa jornada agora se revela como um lindo Fruto que podemos saborear. Essa é a simplicidade do resultado.

O Fruto é um símbolo de uma transformação milagrosa. As raízes buscaram nas mais escuras profundezas o alimento para nutrir seu crescimento. Lutaram contra a forte inércia da gravidade, elevaram a energia adquirida e a distribuíram com equilíbrio até as extremidades do seu ser. Lá essa energia fecundou e floresceu, transformando-se em ricos Frutos que embelezam e nutrem o mundo.

Esse é o momento de celebrar nossas vitórias, de saborear a colheita de nossos esforços. De compartilhar o Fruto que colhemos, a satisfação por nosso trabalho gerar valor. Esse valor pode ser pragmático, como bens monetários, uma linda casa, uma empresa, ou intangível, como a sabedoria, o amor, a paz.

Mas, principalmente, o maior presente que podemos dar para o mundo é nosso ser transformado, nossa presença íntegra, nosso verdadeiro Eu irradiando o seu melhor.

Sim, o Fruto é você.

E todo Fruto tem em si a semente de uma nova árvore.

Sua vida é a sua obra-prima.

Não é o que conquistamos,
mas o que nos tornamos
que dá sentido à nossa vida.

As coisas de maior valor
não são tangíveis.
As coisas de maior valor
não têm preço.

Olhe a beleza em volta.
Deus está nos detalhes.
As coisas simples são as melhores.

O maior sucesso é continuar sendo feliz.

Felicidade é contagiosa.
Curta e compartilhe.
Distribua, divida que ela se multiplica.
Felicidade é um bem que,
quanto mais você distribui, mais você tem.

Assim como o fruto,
tudo vem no seu tempo certo.

O aqui e agora se chama presente.
E ele é isso, um presente.
Viva o momento e agradeça.

A simplicidade é a maior
sofisticação que existe.

Fazer o que se gosta
e ter prazer no que se faz
é o maior dos luxos.

Você é uma pessoa vitoriosa
e precisa saber disso.
A vitória é sua e ela aparece
sempre que você a chama.

Quando a árvore que plantamos frutifica,
os frutos são o resultado da semente
que escolhemos.

Nem sempre conseguimos o que queremos,
mas talvez o que queremos
não seja o melhor para nós.

Você sempre vai encontrar o que procura,
ou quem sabe algo muito melhor.

Pequenos gestos fazem pessoas grandiosas.

Há sempre um tesouro escondido
para ser encontrado.
E sempre onde menos se espera.

Que a árvore que você planta
possa dar sombra, frutas e flores
para quem você nem conhece.

O amor é o único jogo
em que todos ganham.

- **O objetivo:** *Seguir seu caminho com felicidade.*
- **A ação:** *Agradecer. A gratidão abre o portal de Deus.*
- **O risco:** *Acreditar que o paraíso (ou a felicidade) está fora de você.*

21

O Paraíso

Finalmente concretizamos nosso sonho. Chegamos ao Paraíso. E, quando chegamos aqui, temos uma descoberta que nos deixa perplexos: estamos no mesmo lugar em que começamos!

O que mudou? Apenas nós. A nossa percepção. Esse estado de graça estava sempre ali, na nossa frente, ou melhor, dentro de nós, e só nossa visão limitada nos impedia de enxergá-lo. Saltamos da montanha-russa de picos e vales que são as nossas reações inconscientes e descobrimos que a escolha de como encarar as inúmeras situações da vida é nossa.

Aprendemos a dar boas-vindas a tudo o que encontramos no nosso caminho, sabendo que qualquer situação pode ser transformada em sustança para nosso crescimento. Não optaremos mais por ser vítimas, nos debatendo contra a corrente e nunca saindo do lugar. Agora que conhecemos as regras do jogo, a escolha será sempre nossa.

Como a jornada se repete infinitamente, descobrimos que o Paraíso é saber que cada etapa é essencial. Temos que aproveitar o máximo que podemos enquanto a estamos vivenciando. Viramos, assim, perfeitos observadores, testemunhando com interesse e fascinação a mecânica desse incrível jogo no qual nos encontramos.

O Paraíso existe a todo momento e está acessível para todos. Ele pode ser encontrado em qualquer passo da jornada, desde que estejamos presentes e inteiros em nossas ações.

O Paraíso – esse jogo da felicidade – é o estado de espírito com que viajamos e não o destino final.

Todos os dias, pequenos milagres se sucedem.
Quando você percebe e agradece,
eles se tornam cada vez maiores.

Agora, os grandes milagres começam a acontecer.

Quando a gente se orienta
pelas coisas em que acredita,
o sucesso nos acompanha durante
toda a trajetória.

A felicidade não depende de uma
série de circunstâncias,
mas sim de uma série de atitudes.
A felicidade é a jornada.

O Universo quer felicidade, esse é o fluxo natural.
Escolha ser feliz.

A verdadeira natureza do mundo é a harmonia,
todo o resto é distorção.

A vida, por mais comum que pareça,
é sempre extraordinária. Agradeça.
Não existe beleza maior do que o espetáculo da vida.

Não se engane em acreditar
que a felicidade está nas coisas.
Ela está dentro de você.
A felicidade é a essência e não a circunstância.

Saiba que o amor vai te alcançar
aonde quer que você vá.

Ninguém disse que seria fácil...
e, se fosse, nem teria graça.

A vida é uma grande lição de humanidade.

Aproveite: hoje é o primeiro dia
do resto da sua vida.

Você é único.
Nunca bloqueie sua expressão,
quem você é e o que você pensa.
Não deixe que se perca para sempre
esse tesouro dentro de você.

A gente não para de brincar
porque envelhece.
A gente envelhece porque para de brincar.

Olhe novamente tudo
como se fosse a primeira vez.

Celebre cada momento.
Ele é único como você.

Nunca esqueça de ter um olhar
maravilhado para o mundo.
Viva em estado de encantamento,
mesmo quando tudo em volta parecer o oposto.

A verdadeira alquimia
é transformar o dia a dia no ouro da vida.

Felicidade não é uma coisa que a vida te traz.
Felicidade é uma coisa que você traz na vida.

Seja feliz por qualquer motivo,
mesmo pequeno, mesmo que pareça insignificante.
Na verdade, isso é o que significa mais.

A grande vitória
é manter sua essência.

O que somos é um presente de Deus.
O que nos tornamos é nosso
presente pra ele.

A Revelação do Jogo

Um amigo muito próximo me disse que este é um livro
que parece que existiu desde sempre,
que atravessou eras e permanece como uma espécie
de memória perdida, com a qual a gente se reconecta
cada vez que o lê. Que ele tem elementos de um
Universo mítico, mágico e misterioso, do qual somos parte,
e que a proposta do jogo nos faz compreender melhor
o momento presente da nossa vida.
E que, ao mesmo tempo, lida com os sentimentos
mais simples do cotidiano.

Acredito que a chave seja esta: ser feliz é simples,
difícil é achar essa simplicidade.
E se existe algum segredo nisso é poder manter
a essência do que somos. E conseguir colocar a felicidade
onde estamos, no aqui e agora, e não em algum lugar
que precisamos alcançar.

Nosso destino é a própria jornada.
Nela, temos que agradecer a sorte de estarmos vivos
e ter a certeza de que nós podemos criar
uma realidade mais feliz. Sempre.

Esta é a sua parte do livro. Aqui o *Jogo da Felicidade* é seu. Obrigada por participar. Escreva, desenhe, expresse seus pensamentos, suas emoções. O que você sentiu vai ficar registrado para que você guarde esse momento e a partir dele crie, a cada dia, novos lindos momentos em sua jornada.

INFORMAÇÕES SOBRE A SEXTANTE

Para saber mais sobre os títulos e autores
da EDITORA SEXTANTE,
visite o site www.sextante.com.br
e curta as nossas redes sociais.
Além de informações sobre os próximos lançamentos,
você terá acesso a conteúdos exclusivos
e poderá participar de promoções e sorteios.

www.sextante.com.br

facebook.com/esextante

twitter.com/sextante

instagram.com/editorasextante

skoob.com.br/sextante

Se quiser receber informações por e-mail,
basta se cadastrar diretamente no nosso site
ou enviar uma mensagem para
atendimento@sextante.com.br

Editora Sextante
Rua Voluntários da Pátria, 45 / 1.404 – Botafogo
Rio de Janeiro – RJ – 22270-000 – Brasil
Telefone: (21) 2538-4100 – Fax: (21) 2286-9244
E-mail: atendimento@sextante.com.br